# La naturaleza

**Texto por Donna L. Cuevas Roeder**
**Fotos por Donna L. Cuevas Roeder y Alyse Isabel Roeder**

Vas a ver las gaviotas.

Vas a ver los patos.

Vas a ver las flores.

Vas a ver los animales.

Vas a ver las plantas.

Vas a ver las cuevas.

Vas a ver el mar.